Adaptation : Katherine Poindexter
Illustrations : José Cordona et Don Williams
Traduction : Le Groupe Syntagme inc.

Les presses d'or

Imprimé au Canada. ISBN : 1-552250-46-6. Dépôt légal : 2e trimestre 1998.
Bibliothèque nationale du Québec
Bibliothèque nationale du Canada

L'histoire se passe en Chine en des temps anciens. Il y vit une jeune fille appelée Fa Mulan. Mulan voudrait bien faire honneur à sa famille, mais elle manque parfois de douceur et de grâce.

Mulan est souvent en retard - même lorsqu'elle se rend chez la marieuse, qui cherche à lui trouver un mari. « Tu ne feras jamais honneur à ta famille! » rage la marieuse.

Mulan retourne chez elle. Elle adore ses parents et ne peut supporter de les décevoir.

Son père se contente de sourire. « Les fleurs sont superbes cette année », dit-il. Puis, pointant un des arbres, il ajoute : « Celui-là est en retard. » Il replace avec soin le peigne de Mulan et dit : « Je parie que ses fleurs seront les plus belles du jardin. »

Soudain, les rues résonnent de grands bruits de sabots.

« Les Huns envahissent la Chine! » crie l'aide de camp de l'Empereur. « L'Empereur ordonne à chaque famille d'envoyer un homme servir l'armée impériale. » Lorsqu'il nomme la famille Fa, le père de Mulan s'avance.

« Non, Père! » s'écrie Mulan. Son père n'est plus tout jeune et il a déjà servi l'Empereur durant une autre guerre.

Cette nuit-là, Mulan entre sans bruit dans la chambre de ses parents, prend sur la table de nuit la convocation de l'armée et la remplace par le superbe peigne qui retient ses cheveux. Puis elle sort de la chambre en vitesse avant de changer d'idée.

Avec l'épée de son père, Mulan coupe ses cheveux noirs. Puis elle enfile l'armure de son père. Elle se fera passer pour un jeune homme et se battra à la place de son père.

Mulan connaît les risques. Les lois chinoises interdisent aux femmes d'être soldats. Et si on perçait son secret? Peu importe, elle aime trop son père pour le laisser aller à la guerre.

Dans le temple familial, les ancêtres de la famille Fa se réveillent. « Ah, cette Mulan, gronde l'un d'eux, quelle provocatrice! Si on découvre quelle est une fille, la famille en sera déshonorée. » Le Premier Ancêtre se tourne vers le petit dragon Mushu : « Il faut que le plus puissant des gardiens aille la chercher », déclare-t-il.
« D'accord, j'irai », répond fièrement Mushu.

Les ancêtres ricanent. « Tu ne fais pas le poids », se moque le Premier Ancêtre. « Va réveiller le grand dragon de pierre. »

Le grand dragon de pierre monte la garde dans le jardin. Lorsque Mushu tente de le réveiller en lui cognant sur l'oreille, il s'écroule. À la vue du tas de pierres, Mushu sait qu'il a de gros ennuis!

Sans plus réfléchir, il décide de retrouver Mulan tout seul. Grâce à moi, se dit-il, elle reviendra couverte de gloire! Il veut depuis longtemps reprendre sa place de gardien au temple de la famille Fa. Peut-être que son geste l'aidera à y parvenir!

Mushu rejoint Mulan. Il est accompagné d'un gentil criquet appelé Cri-Kee. C'est bien connu, les criquets portent bonheur, et Mulan en aura bien besoin!

« C'est ici! » murmure Mushu lorsqu'ils arrivent au camp de l'armée. « Montre-leur comment marche un homme! » Mulan tente de son mieux de marcher comme un homme. Mais lorsque le capitaine, Li Shang, lui demande son nom, elle bredouille : « Mon nom? C'est un nom de garçon, Capitaine. Cest, euh, Ping! »

Mulan s'entraîne fort avec les autres recrues. L'épreuve la plus difficile de toutes consiste à aller chercher une flèche plantée au sommet d'un haut poteau. Toutes les autres recrues ont échoué! Mais Mulan, grâce à sa force et à sa discipline, réussit l'épreuve.

Une fois l'entraînement terminé, Mulan et les autres soldats se rendent dans les montagnes pour affronter les Huns, qui ont à leur tête l'ignoble Shan-Yu. Dans un col enneigé, les Huns lancent une attaque surprise : ils font pleuvoir sur les troupes de Shang des flèches enflammées, puis ils chargent.

« Pointez le dernier canon sur Shan-Yu! » hurle Shang. Mulan doit penser rapidement. Elle se précipite sur le dernier canon et le dirige vers les Huns qui passent à l'attaque. Puis, à l'aide du feu que crache Mushu, elle allume la mèche du canon.

Boum! Le boulet va se loger dans la montagne et cause une avalanche qui ensevelit les méchants Huns sous la neige.

Tandis que l'avalanche continue, Mulan cherche Shang. Enfin, elle le retrouve, presque entièrement recouvert de neige. En tirant bien fort, elle réussit à le faire monter en selle pour l'emmener en sécurité.

« Bravo Ping! » crie l'un des soldats. « De nous tous, c'est toi le plus brave! »

Soudain, Mulan gémit en se tenant le côté. « Ping est blessé! Vite, de l'aide! » implore Shang. Après sa visite à Mulan, le médecin sort de l'infirmerie et chuchote quelque chose à Shang.

Shang n'en croit pas ses oreilles. Ping serait une femme!

Selon la loi chinoise, un tel mensonge est punissable de mort!

Shang est triste et déçu de la supercherie de Mulan. Mais comme elle lui a sauvé la vie, il la laissera vivre. Il part donc avec son armée pour la Cité impériale, laissant Mulan derrière.

« Je n'aurais jamais dû venir », dit Mulan à Mushu. Avec tristesse, elle fait ses bagages et se prépare à rentrer.

Soudain, Mulan aperçoit au loin quelques Huns qui ont survécu à la bataille. L'ignoble Shan-Yu à leur tête, ils se dirigent vers la Cité impériale. « Il faut faire quelque chose! » se dit Mulan.

Elle galope jusqu'à la Cité impériale et retrouve Shang et sa troupe. « Les Huns sont vivants, crie-t-elle. Ils s'en viennent! »

« Pourquoi devrais-je te croire? » réplique froidement Shang en poursuivant son chemin. Mulan tente par tous les moyens d'avertir les autres, mais personne ne veut l'écouter.

Tous constatent bientôt que Mulan disait la vérité. Shan-Yu capture l'Empereur et le garde prisonnier au palais. Shang et ses soldats ne peuvent y entrer. Mais Mulan a une idée! Elle habille trois des soldats en femmes. Tout y est : perruque, maquillage et éventail. Les Huns arrêtent les soldats, mais personne ne prend garde à ces « jeunes femmes » qui circulent dans les couloirs du palais.

Pendant que Shang se bat avec Shan-Yu, Mulan et ses amis se servent d'une banderole pour aider l'Empereur à s'échapper.

Shan-Yu frappe Shang et lui fait perdre conscience. Puis, furieux, il se lance à la poursuite de Mulan. Celle-ci aperçoit soudain la tour où l'Empereur garde ses feux d'artifice. Mushu trouve une façon de l'aider.

Mulan laisse Shan-Yu la poursuivre dans le palais, puis sort sur le toit où, bravement, elle le confronte. Mushu se place derrière Shan-Yu. Il a une fusée sur le dos! Cri-Kee allume la mèche et Mushu bondit juste au moment où la fusée pousse Shan-Yu jusque dans la tour des feux d'artifice. Badaboum! La fusée frappe la tour, qui explose dans un grand bruit de tonnerre, illuminant le ciel nocturne.

Comme la fumée de l'explosion se dissipe, l'Empereur apparaît. À la grande surprise de Mulan, il se prosterne devant elle. Et tous les habitants du palais suivent son exemple. « Tu nous a sauvés », dit l'Empereur. Ensuite, il donne à Mulan deux cadeaux : l'épée de Shan-Yu et un pendentif aux armes de l'Empereur. Enfin, il lui demande de devenir membre de son conseil. Mulan décline l'offre. Il est temps pour elle de retourner dans sa famille.